# Fruit

банан
banan
banana

папайя
papaya
papaya

груша
grusha
pear

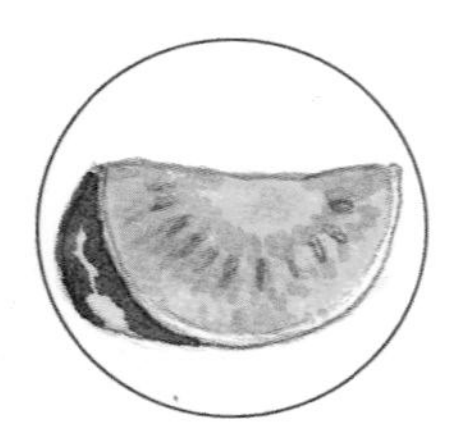

арбуз
arbuz
melon

слива
sliva
plum

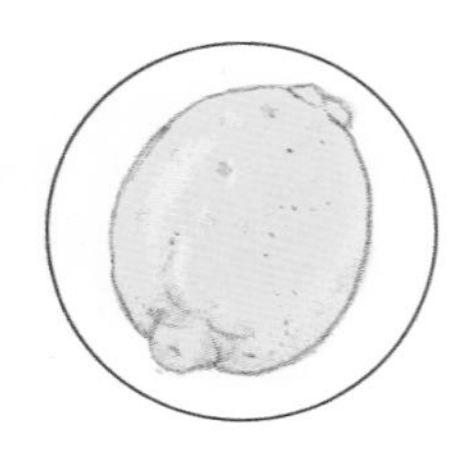

лемон
limon
lemon

черешня
chereshnya
cherries

клубника
klubnika
strawberries

# Дорожная Безопасность

иди
idi
go

стой
stoy
stop

посмотри
pasmatri
look

послушай
paslushay
listen

детский переход
detskiy perehod
children crossing

регулировщик
regulirovschik
school crossing patrol officer

ремень безопасности
rimen' bezapasnasti
seat belt

тротуар
tratuar
pavement

# Transport

самолет
samalyot
aeroplane

грузовик
gruzavik
lorry/truck

машина
mashina
car

автобус
aftobus
coach

лодка
lotka
boat

велосипед
velasiped
bicycle

поезд
poyezd
train

# Дикие Животные

панда
panda
panda bear

жираф
zhiraf
giraffe

верблюд
verbliud
camel

тигр
tigr
tiger

медведь
medved'
bear

пингвин
pingvin
penguin

крокодил
kraradil
crocodile

акула
akula
shark

# Seaside

море
more
sea

волны
volny
waves

пляж
pliazh
beach

спасательный круг
spasatel'nyi krug
lifeguard

крем от загара
krem ot zagara
sun lotion

ракушки
rakushki
shells

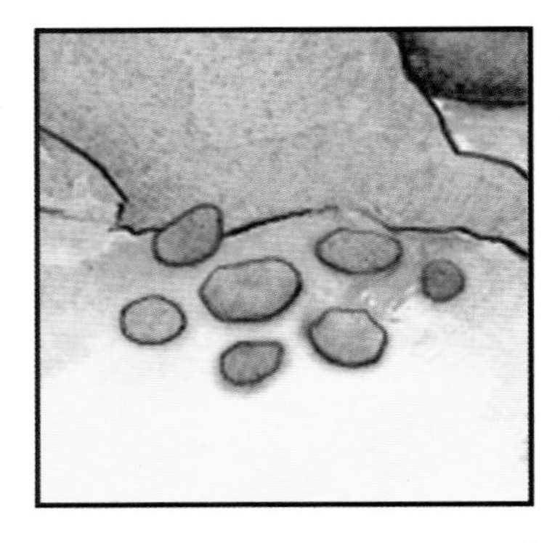

галька
gal'ka
pebbles

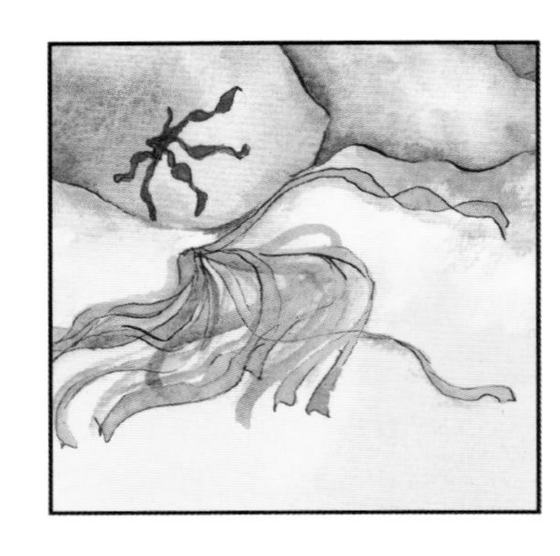

морские водоросли
marskiye vodarasli
seaweed

# Дом и его содержимое

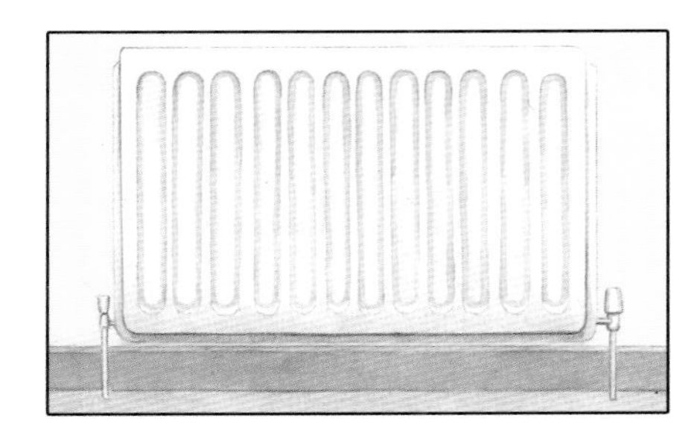

батарея
batareya
radiator

ванна
vanna
bath

полотенце
palatentse
towel

зеркало
zerkalo
mirror

туалет
tualet
toilet

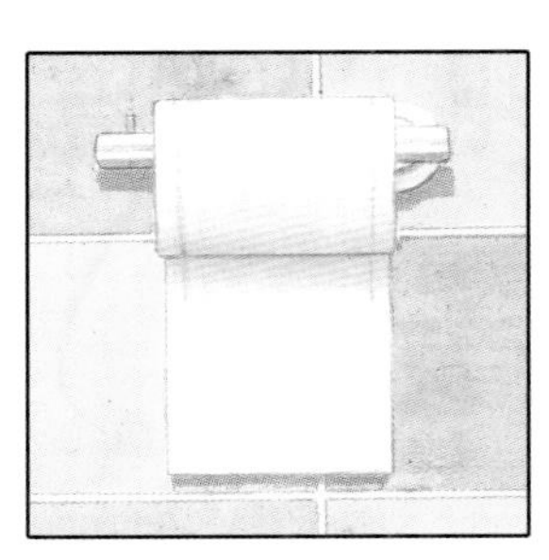

туалетная бумага
tualetnaya bumaga
toilet roll

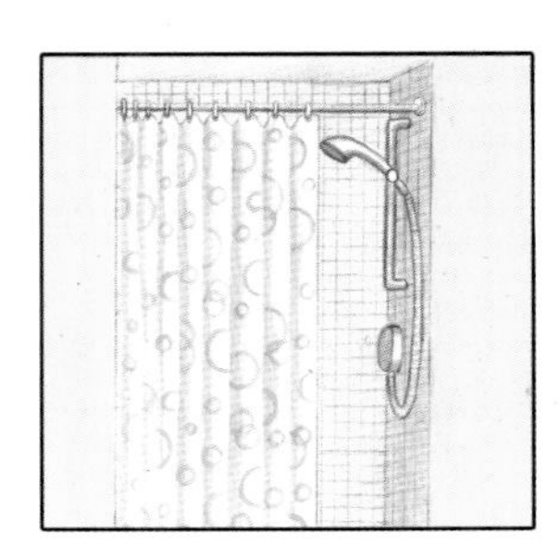

душ
dush
shower

телевизор
televizor
television

радио
radio
radio

шторы
shtory
curtains

сервант
servant
cupboard

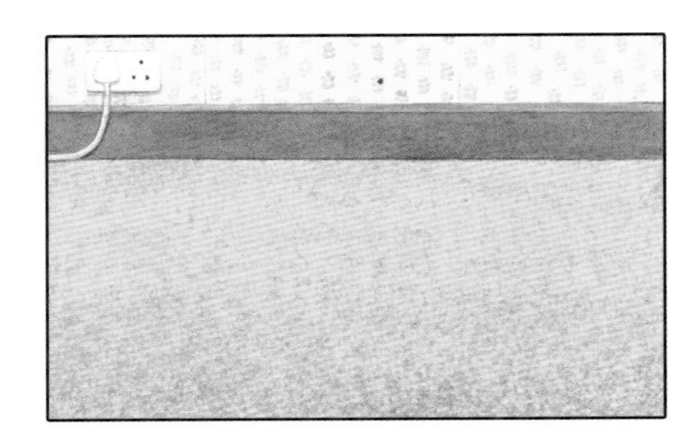

ковер
kavyor
carpet

софа
sofa
sofa

стол
stol
table

марс
mars
Mars

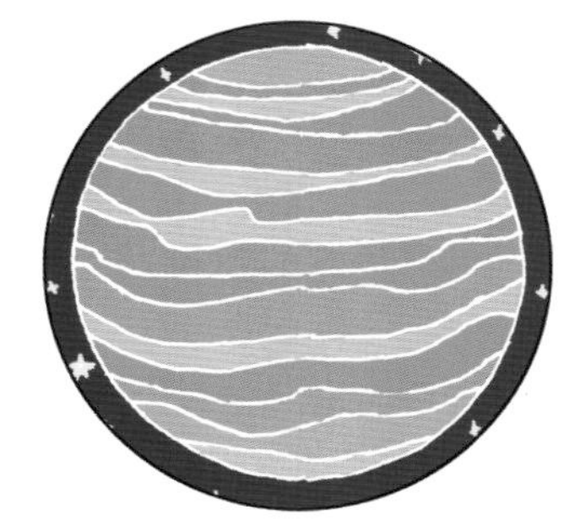

юпитер
yupiter
Jupiter

сатурн
saturn
Saturn

уран
uran
Uranus

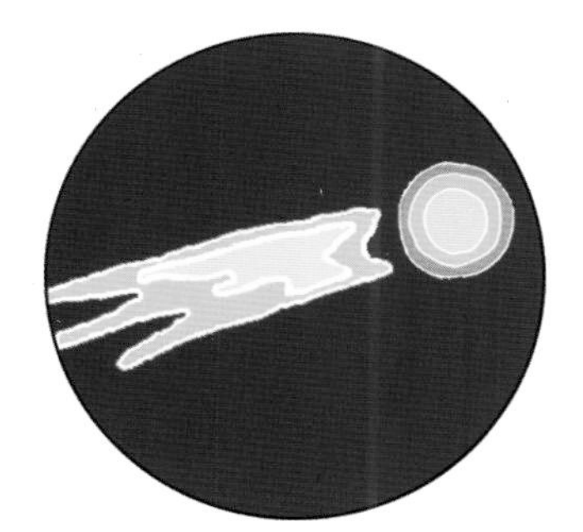

комета
kameta
comet

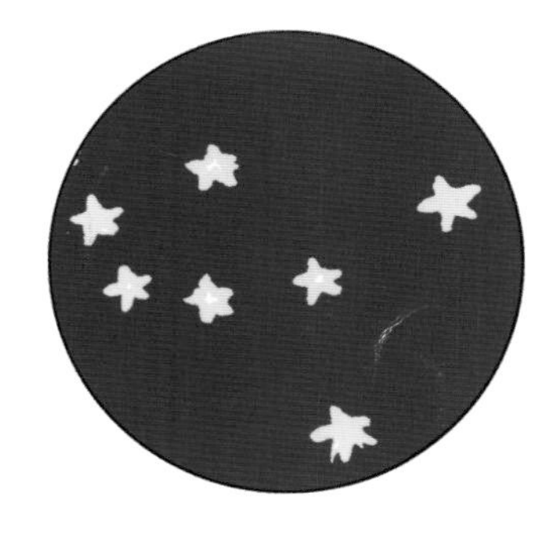

звёзды
zvyozdy
stars

нептун
neptun
Neptune

плутон
pluton
Pluto

# Weather

солнечно
solnechno
sunny

радуга
raduga
rainbow

дождливо
dazhdlivo
rainy

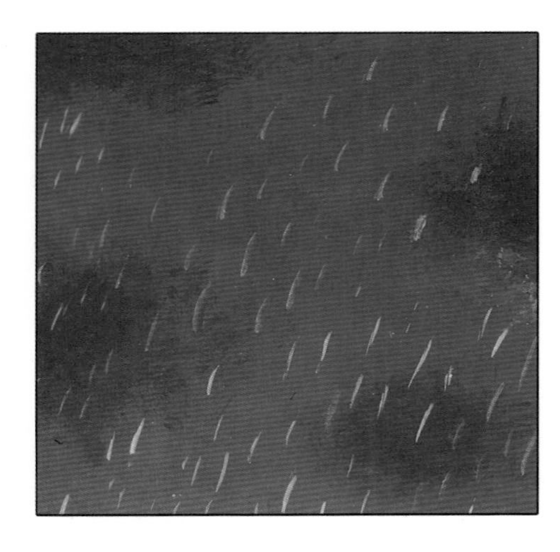

гром
grom
thunder

молния
molniya
lightning

штормовой
shtarmavoy
stormy